Name:
_____

Address:
_____

_____

Phone:
_____

Email:
_____

_____

_____

_____

_____

_____

Character: _____ **Date:** _____

_____

_____

_____

_____

_____

Character: _____   **Date:** _____

_____   _____

_____

_____

_____

_____

_____

Character: _____ **Date:** _____

_____

_____

_____

_____

_____

Character: _____ **Date:** _____

_____

_____

_____

_____

Character: _____ **Date:** _____

_____

_____

_____

_____

_____

Character: _____   **Date:** _____

_____

_____

_____

_____

_____

Character: _____   **Date:** _____

_____

_____

_____

_____

_____

Character: _____ **Date:** _____

_____

_____

_____

_____

_____

Character: _____   **Date:** _____

_____   _____

_____

_____

_____

_____

_____

Character: _____ **Date:** _____

_____

_____

_____

_____

_____

Character: _____   **Date:** _____

_____

_____

_____

_____

_____

Character: _____ **Date:** _____

_____

_____

_____

_____

_____

Character: _____ **Date:** _____

_____

_____

_____

_____

_____

Character: _____ **Date:** _____

_____

_____

_____

_____

_____

Character: _____

Date: _____

_____

_____

_____

_____

_____

Character: _____

Date: _____

_____   _____

_____

_____

_____

_____

_____

Character: _____ **Date:** _____

_____

_____

_____

_____

_____

Character: _____ **Date:** _____

_____

_____

_____

_____

_____

Character: _____   **Date:** _____

_____

_____

_____

_____

_____

Character: _____ **Date:** _____

_____

_____

_____

_____

_____

Character: _____   **Date:** _____

_____   _____

_____

_____

_____

_____

_____

Character: _____   **Date:** _____

_____

_____

_____

_____

_____

Character: _____ **Date:** _____

_____   _____

_____

_____

_____

_____

_____

Character: _____   **Date:** _____

_____

_____

_____

_____

_____

Character: _____   **Date:** _____

_____

_____

_____

_____

_____

Character: _____   **Date:** _____

_____

_____

_____

_____

_____

Character: _____ **Date:** _____

_____

_____

_____

_____

_____

Character: _____   **Date:** _____

_____

_____

_____

_____

_____

Character: _____   **Date:** _____

_____

_____

_____

_____

_____

Character: _____

Date: _____

_____

_____

_____

_____

_____

Character: _____   **Date:** _____

_____

_____

_____

_____

_____

Character: _____   **Date:** _____

_____

_____

_____

_____

_____

Character: _____   **Date:** _____

_____   _____

_____

_____

_____

_____

_____

Character: _____ **Date:** _____

_____ _____

_____

_____

_____

_____

_____

Character: _____ **Date:** _____

_____

_____

_____

_____

_____

Character: **Date:**

_____   _____

_____

_____

_____

_____

_____

Character: _____ **Date:** _____

_____

_____

_____

_____

_____

Character: _____

_____

Date: _____

_____

_____

_____

_____

_____

Character: **Date:**

_____   _____

_____

_____

_____

_____

_____

Character: _____   **Date:** _____

_____

_____

_____

_____

_____

Character: _____ **Date:** _____

_____

_____

_____

_____

_____

Character: _____   **Date:** _____

_____

_____

_____

_____

_____

Character: _____   **Date:** _____

_____

_____

_____

_____

_____

Character: _____ **Date:** _____

_____

_____

_____

_____

_____

Character: _____   **Date:** _____

_____

_____

_____

_____

_____

Character: _____ **Date:** _____

_____

_____

_____

_____

_____

Character: _____   **Date:** _____

_____

_____

_____

_____

_____

Character: _____   **Date:** _____

_____   _____

_____

_____

_____

_____

_____

Character: _____   **Date:** _____

_____

_____

_____

_____

_____

Character: _____   **Date:** _____

_____   _____

_____

_____

_____

_____

_____

Character: _____ **Date:** _____

_____

_____

_____

_____

_____

Character: _____ **Date:** _____

_____

_____

_____

_____

_____

Character: _____ **Date:** _____

_____

_____

_____

_____

_____

Character: _____   **Date:** _____

Made in the USA
Monee, IL
09 July 2022